EL ALFABETO

Ilustrado por Gwen Connelly

SCHOLASTIC INC.
New York Toronto London Auckland Sydney
Mexico City New Delhi Hong Kong

No part of this publication may be reproduced in whole or in part,
or stored in a retrieval system, or transmitted in any form or by any means,
electronic, mechanical, photocopying, recording, or otherwise, without
written permission of the publisher. For information regarding permission,
write to Passport Books, a division of NTC/Contemporary Publishing Group, Inc.,
4255 West Touhy Avenue, Lincolnwood, IL 60646.

Copyright © 1991 by NTC/Contemporary Publishing Group, Inc.
All rights reserved. Published by Scholastic Inc.,
555 Broadway, New York, NY 10012,
by arrangement with Passport Books,
a division of NTC/Contemporary Publishing Group, Inc.
SCHOLASTIC and associated logos and designs are trademarks
and/or registered trademarks of Scholastic Inc.

Printed in the U.S.A.

ISBN 0-439-11538-8

10 09 08 07 06 05 04 40 07 06 05

Queridos niños:

Este libro ha sido escrito especialmente para ustedes. Les va a ayudar a decir todas las letras del alfabeto en español. Para cada letra hay una oración chistosa, y las ilustraciones seguro que les harán reír. Las ilustraciones les "dicen" lo que significan las oraciones en español.

Esperamos que se diviertan mucho aprendiendo las letras y algunas palabras nuevas. ¡Buena suerte!

A los padres y maestros:

El alfabeto es una manera divertida de ayudar a los niños a entrar en contacto con la letra impresa. Cada letra del alfabeto viene acompañada de oraciones ingeniosas y aliteradas y de ilustraciones a todo color. La fantasía y el humor, tanto de las oraciones como de las ilustraciones, tienen el propósito de que la primera impresión que tengan los niños del español escrito sea agradable y divertida.

El alfabeto sin duda contribuirá a que los niños descubran que aprender a leer es una experiencia emocionante.

Aa

¡Ah! Alicia cuelga un cartel de **animales** en la sala.

Bb

La **blusa** juega con **burbujas** en la **bañera.**

Cc

Un **conejo corre con cuidado** sobre la **cama** de **Carolina.**

Dd

Los **discos duermen** en el **dormitorio.**

Ee

Un **elefante elegante está** sentado **en** un **escritorio.**

Ff

La **falda** de **Fifi** tiene **frío** en el agua **frígida.**

Gg

Gregorio el **gato gris** agarra el **globo grande.**

Hh

Hortensia y su **hermano Héctor** comen **helados** en la nieve.

Ii

Isabel Ibáñez de **Íbero** mira cinco **insectos inquietos.**

Jj Kk

Juan juega con **juguetes** que pesan tres **kilos.**

Ll

Linda la lora lava la lámpara.

Mm

Mi muñeco Marcos tiene **miedo** de las **manzanas.**

Nn

Natalia la **naranja** tiene
nueve naranjitas en la cuna.

Ññ

La **piña** de la **niña** lleva un traje de **baño.**

Oo

¡Oh! ¡Los **ojos** de **Oscar** el **oso** son rosados!

Pp

Pepe el **pato patina** en el **piano.**

Qq

¿Qué quiere el **quetzal?**
¿Quizás el **queso?**

Rr

Ricardo el **reloj rojo** se **ríe** del **refrigerador.**

Ss

Samuel el **sapo sorbe sopa** en **su sillón.**

Tt

El **televisor tímido** está aterrorizado en el **techo.**

Uu

El **último unicornio uruguayo** come **uvas** azules.

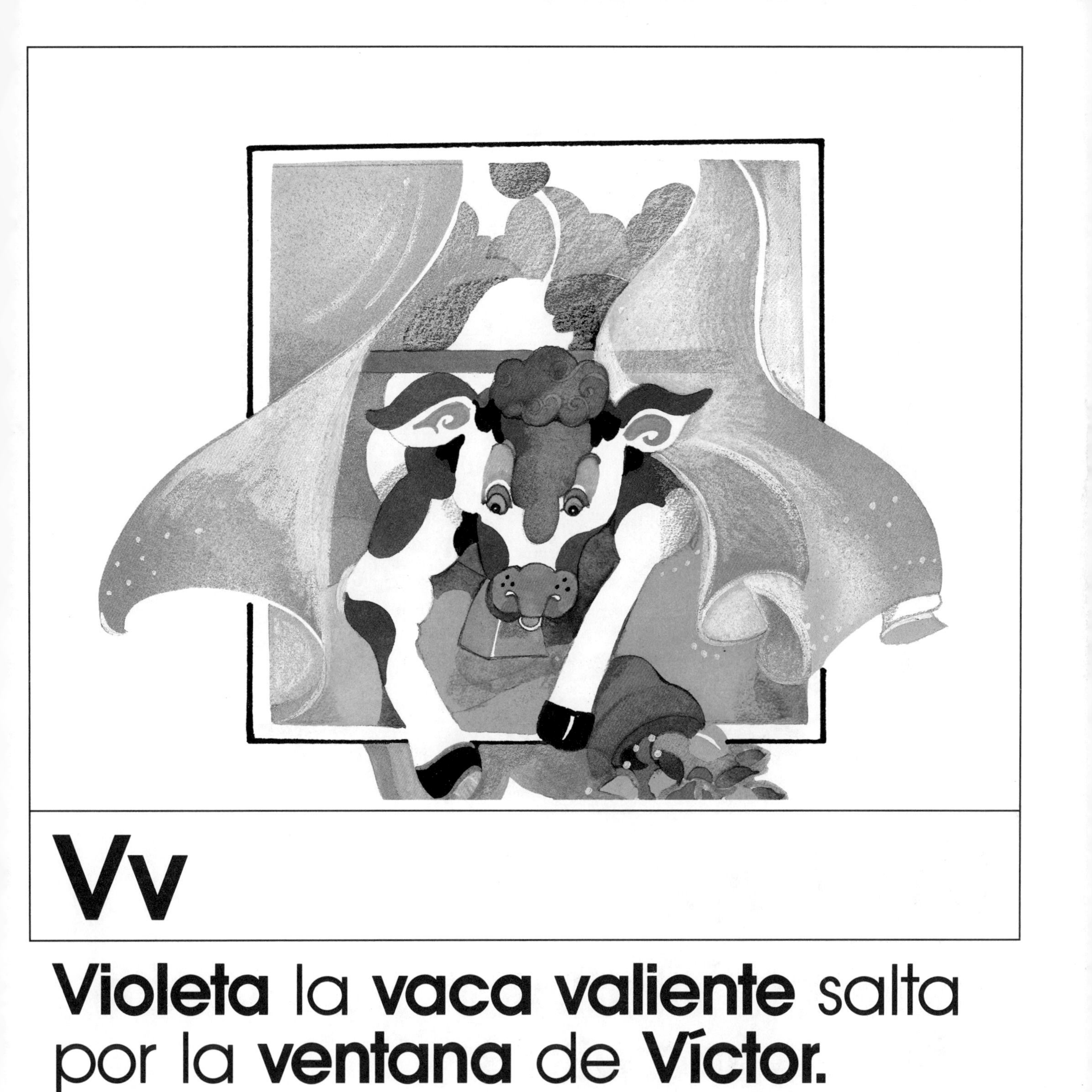

Vv

Violeta la **vaca valiente** salta por la **ventana** de **Víctor.**

Ww Xx

Tocando el **xilófono Oswaldo** come **sándwiches.**

Yy Zz

¡Yupi! ¡Yolanda y **yo** bailamos con **tazas** en los **zapatos!**